Palabras Santas

Bendiciones, Decretos y Plegarias

Palabras Santas

Bendiciones, Decretos y Plegarias

Recopilación:
Grupo Nueva Era

Grupo Editorial Tomo, S. A. de C. V.
Nicolás San Juan 1043
03100 México, D. F.

1a. edición, mayo 1998.

Nicolás San Juan 1043, Col. Del Valle
03100 México, D. F.
ISBN: 970-666-036-4
Miembro de la Cámara Nacional
de la Industria Editorial No. 2961

Diseño de la portada: Emigdio Guevara

Formación tipográfica: Felipe Ramírez

Impreso en México - Printed in Mexico

Índice

Introducción

Amado lector:

A ti que buscas con afán divino encontrar al PADRE y ser Uno con Él, mejorar tu vida, tu trabajo, llenar tu hogar de paz de felicidad y de abundancia, para ti, ponemos en tus manos estos decretos, afirmaciones y meditaciones de Luz, que irradiados desde lo más profundo de tu corazón y de tu mente, tendrán la fuerza de atraer hacia ti todo lo que deseas.

Este librito podrá cambiar tu vida cuando cada palabra, afirmación y decreto, lo sientas profundamente en tu corazón.

Escucha: Es importante tu corazón, como son importantes tus pensamientos y tus palabras. Cada pensamiento, cada sentimiento y cada palabra es de suma importancia porque encierran una grandísima fuerza vibratoria; suficiente para moldear el cuerpo y los asuntos del hombre.

Toma este librito con fé, con amor y trabájalo día a día con mayor entusiasmo.

Notarás que tu vida va cambiando y que llegan a ti sin cesar, las maravillas del PADRE que te ama.

ORACIÓN DE FE

Una vez Gandhi dijo: "El amor es el medio, la verdad es el fin; si utilizamos el medio, tarde o temprano llegaremos al fin, a la Verdad, a Dios...", y ese medio, no es otra cosa que la Oración.

En este pequeño libro, intentamos que usted tenga a la mano el medio, para que con su fe y esperanza logre llegar a la Verdad, y así, a Dios.

LA PALABRA PODEROSA

Oremos constantemente para pedir la habilidad de orar debidamente:

"YO SOY Espíritu Divino. En Dios vivo, me muevo y existo. Yo soy parte de la manifestación de Dios, y por lo tanto manifiesto perfecta armonía. Yo individualizo la Omniscencia. Tengo conocimiento directo de la Verdad. Tengo una intuición perfecta. Yo tengo percepción espiritual. Yo sé. Dios es mi sabiduría y por eso no puedo equivocarme. Dios es mi inteligencia y por eso pienso siempre correctamente. No hay pérdida de tiempo porque es Dios quien siempre actúa. Dios trabaja por intercambio mío y por eso siempre trabajo como es debido; tampoco hay peligro de que yo ore equivocadamente. Pienso lo que debo, del modo debido, al momento debido. Lo que hago siempre está bien hecho porque es el trabajo de Dios.

El Espíritu Santo me inspira continuamente. Mis pensamientos son puros, nuevos, claros y potentes con la fuerza de la Omnipotencia. Mis oraciones son fruto del Espíritu Santo, fuertes como el águila y benignos como la paloma. Salen de mí en nombre de Dios mismo y no pueden regresar a mí vacías. Lograrán lo que yo desee y prosperarán en aquello a que yo las envíe, por cualquier motivo que yo indique. Doy gracias a Dios por ello".

ORACIÓN POR LA PAZ

En nombre de la Amada y Todopoderosa Presencia "YO SOY" decretamos una paz permanente, que una a todas las naciones de la Tierra en una liga de justicia y rectitud, en que la vida, la libertad, la fraternidad humana y el Amor a Dios, estén por encima de todas las cosas.

(Gracias te damos por la paz del mundo)

SALMO DEL ESTUDIANTE

Habito en el lugar secreto del Gran Maestro
y descanso en la Luz de Su entendimiento.
Digo al Señor: Él es mi referencia y mi autoridad,
Mi Dios en quien confío
Él me libra de los conceptos triviales
y de temores infundados
Él me envuelve en Su paz
y quedo seguro en la convicción
de Sus instrucciones.
Para mí su Verdad es una fuente de sabiduría.
No temo a pensamientos de terror
que puedan entrar en mi mente.
No sucumbo a las ideas absurdas
que interrumpan mis estudios.
No importa cuántos puedan fracasar,
yo estaré seguro,
porque el Gran Maestro es mi infalible ayuda.

Porque he hecho al Señor, al Altísimo,
mi instructor, y no puedo fracasar.
Confiando en Él hago lo mejor que puedo.
Sus amorosos pensamientos me sostienen
y me guardan en todos mis caminos.
Ellos me levantan cuando estoy abatido
y deprimido...
Con Él sigo triunfante de todo peligro
y dificultad...
Porque mi fe está en Dios, Él me protegerá.
Él me ayudará a triunfar.
Él me responderá al solicitar auxilio;
Él estará conmigo en la dificultad.
Me inspirará y me hará honorable;
me bendecirá con vida abundante,
y me mostrará Sus caminos de sabiduría.

¡DADME CALMA, SEÑOR!

Déjame sentir la honda paz presente en cada experiencia, la armonía de vivir. Dadme calma, Señor, de manera que pueda entrar la paz dentro de mi corazón. Dadme paz de manera que vea la bendición escondida en todas las cosas.

Guárdame de palabras ociosas y vanas fantasías. Calma la carrera de mi mente para que mis pensamientos tengan la claridad y movimiento fácil del fresco aire que respiro. Busco la serenidad de un lago tranquilo, la fuerza de un roble, el incambiable, sólido poder de las montañas.

Dadme calma Señor, para que pueda emplear tiempo para gozar la paz, en la belleza que haz creado a mi alrededor. Necesito tiempo para pensar, tiempo para considerar soluciones a problemas, tiempo para confirmar mi ser interno y mi vida en amor y divino orden.

Dadme calma, Señor, es mi oración, y mientras siento que me aquieta tu presencia, siento la suavidad de tu mano en la mía, estoy tranquila(o), estoy quieta(o), estoy en paz. Gracias, Padre, que me oíste.

INSPIRACIÓN ESPIRITUAL

El Espíritu de Dios se derrama ahora sobre mí y estoy lleno de Amor, Sabiduría, y el Poder y la gloria del Señor. Doy gracias.

MANTO DE LUZ

"YO SOY", "YO SOY","YO SOY" la Victoriosa Presencia del Omnipotente Dios, que ahora me envuelve en mi radiante, brillante manto de Luz pura electrónica, que me hace invisible e invencible a toda creación humana ahora y siempre.

VICTORIA SOBRE LA LIMITACIÓN

Cristo, poderoso, a todo mi ser das la victoria sobre toda limitación. Como hijo de Dios soy saludable, feliz, próspero, sabio, amoroso y libre.

¡PADRE!

YO SOY una(o) con el PADRE.
Mi PADRE y yo, somos UNO.
YO SOY ÉL, ÉL es yo.
Yo vivo, me muevo y soy en DIOS.
DIOS vive, se mueve y ES en mí.
YO SOY perfecta(o), como mi PADRE
[CELESTIAL ES PERFECTO.
Mi PADRE hace en mí, todas estas cosas.

ORACIÓN DE PROSPERIDAD

Tú, oh Dios, eres mi poderoso recurso, yo confío y creo en tu infalible abundancia, constantemente aumentando y multiplicándose en mi mente y en mis asuntos, por medio de mi consciencia de que Tú Padre, eres mi infaltable provisor y de que Tú Padre, estás pendiente de mi necesidad para cubrirla al instante y momento propicio. Bendigo mi provisión y decreto abundancia para toda la humanidad. Gracias.

AFIRMACIONES DE FÉ

YO SOY la Fé, que hace milagros.
YO SOY la Fé, que mueve al Infinto.
YO SOY la Fé, que todo lo puede.
YO SOY la Fé, que quita toda duda.
YO SOY la Fé, que convierte toda sustancia en [realidad.
YO SOY la Fé de que el que pide: recibe.
YO SOY la Fé, antes de que me llames, contesto.

ORACIÓN PARA LOS TARTAMUDOS

Eres sereno, equilibrado hijo de Dios. Te expresas perfectamente, con naturalidad y confianza.

Gracias Padre.

CÍRCULO MÁGICO DE PROTECCIÓN

YO SOY el círculo mágico de protección, que es invencible, repele todo elemento perturbador y todo peligro que intente penetrar para perjudicarme. YO SOY la perfección en mi mundo y es autosostenido.

ACCIÓN DE GRACIAS POR LA PROVISIÓN DE DIOS

"Vuestro Padre sabe las cosas que necesitas antes de que las pidas", dice Jesús. Fortalece tu fé en el amoroso cuidado de Dios, meditando diariamente en estas palabras:

Padre, Te doy gracias por la seguridad de que Tu vida, amor, sabiduría y sustancia me están bendiciendo abundantemente. Recibo ahora agradecida(o) y gozosamente.

BENDICIÓN PARA UN NIÑO DE ESCUELA

Te entrego a la protección y cuidado de Dios,
Su Presencia te guarda y protege,
Su Sabiduría te guía y dirige,
Su Vida te sostiene y perfecciona,
Su Comprensión inspira a aquellos que te enseñan,
Su Amor está en los corazones de los que te rodean,
Vas al encuentro de tu bien.

PLEGARIA AL ÁNGEL DE LA GUARDA

Querido Ángel de la Guarda.
No me abandonéis,
tengo necesidad de vuestra
protección para sobrellevar con fé
y amor las pruebas que Dios quiera enviarme

ORACIÓN DE PROTECCIÓN

La luz de Dios me rodea;
el amor de Dios me envuelve;
el poder de Dios me protege;
la presencia de Dios vela por mí.
¡Donde quiera que estoy, Dios está conmigo!

CUANDO ESTAMOS EN PELIGRO

¡Dios Todopoderoso, y Vos, mi Ángel de la Guarda, socorredme! Si debo sucumbir, que se haga la voluntad de Dios. Si me salvo, que en el resto de mi vida repare el mal que he hecho y del que me arrepiento.

ORACIÓN DE LA RIQUEZA

Siente cómo en los infinitos dominios del PADRE, la riqueza se derrama por doquier. Esta ilimitada riqueza del Universo es tuya por derecho de consciencia y debemos aprender a tomarla con humildad y confianza para emplearla en nuestro servicio a la VIDA.

YO SOY amándote y bendiciéndote Divina riqueza; y te reconozco en todas las formas en que te presentas. Eres Riqueza espiritual, de Paz, de Armonía, de Consciencia, de Salud, de Alimentación, material y muchas más.

Te contemplo en el Universo, en las galaxias, en mi amado planeta Tierra; en cada continente, en cada país, en cada ciudad, en México, mi país, México mi ciudad, mi colonia, mis vecinos, mis negocios, mis parientes, mi familia, en mi persona, en cada una de mis células; en mis pensamientos y sentimientos.

Amada riqueza, te bendigo y establezco tu Presencia aquí y ahora. Tú eres la Divinidad viviendo, vibrando dentro y fuera de mí. Estás aquí para ayudarme en mi servicio a la Vida, tú te distribuyes positivamente en cada ser.

Divina riqueza, te amo y te bendigo. Sé que vienes a mí bendiciéndome a través de ideas, de pensamientos, de personas, de tiempo, de consciencia, de amor, de felicidad, de amistad, de bienes materiales y demás.

Yo bendigo mi vida y la de todos los seres que habitan mi Planeta conocidos y desconocidos; visibles o invisibles.

Bendigo lo bueno que hubo en mi pasado, lo bueno que tengo en el presente. Gracias Amada riqueza porque estás siempre conmigo, aquí y ahora. Te establezco en cada uno de mis átomos, Te amo y te bendigo Divina riqueza, Te amo y te bendigo Divina riqueza, Te amo y te bendigo Divina riqueza.

****Al decirlo, hazlo con amor, agradecimiento y fe.*

BENDICIÓN PARA EL DINERO

Bendice todo el dinero que recibes o das con estas palabras: "El Amor Divino a través de mí te bendice para que en mis manos te multipliques y en manos de quien me lo dio".

LIBERACIÓN DE ALEGRÍAS

YO SOY un fuerte y vital hijo de Dios. Sólo tengo reacciones saludables, felices y normales para el aire que respiro, el alimento que como y las condiciones de mi vida. Doy gracias por todo este bien.

MI CUERPO

1.—Aprecio, amo y respeto mi cuerpo.

2.—Desde mi mente envío mensajes claros y amorosos a mi cuerpo.

3.—Soy lo que he pensado siempre que soy.

4.—Mi cuerpo es una hermosa creación de mi espíritu.

5.—Yo soy Dios expresándose a través de mí.

6.—Mi cuerpo es el templo perfecto de Dios.

7.—YO SOY la Presencia Divina en mi cuerpo.
Soy un Sagrario viviente.
YO SOY ÉL, EL ES YO.

BENDICIONES DEL HOGAR

Cristo es la cabeza de este hogar. Él es la única presencia y el único poder aquí. Él vive eternamente en el corazón de cada miembro de esta familia, y bendice a todo el que entra por sus puertas.

La presencia del Cristo, que mora en este hogar y en el corazón de cada uno de los que viven aquí, protege contra enfermedades, desarmonías y escasez. Su presencia, que llena este hogar, es la verdadera presencia de vida, gozo, seguridad, amor y prosperidad. Este hogar es un albergue de paz y felicidad.

Ningún pensamiento o palabra negativa puede turbar el ambiente de este hogar. Ninguna actuación errónea puede efectuarse. Sólo el gozo, la bondad, la cooperación y el servicio reinan aquí. Esta es la morada del bien.

Cada día este hogar es santificado por la viva presencia del Cristo. Cada día lo alabo a Él por Su amorosa, protectora y auxiliadora presencia.

CRISTO DIVINO

El Cristo Divino y viviente mora en esta casa. Su presencia se siente como paz y orden en nuestra vida, amor en nuestro camino, salud en nuestro cuerpo, y prosperidad en nuestros negocios. Pensamos sólo en el bien, vemos sólo el amor, y hallamos sólo la paz. Alabado sea DIOS.

UNO CON EL TODOPODEROSO

Jesús dijo: "El Padre y yo somos uno". Por su autoridad declara: YO SOY uno con el Todopoderoso. Mi ambiente es Dios. Él orden y bienestar reinan en mi vida y en mi mundo. Doy gracias.

NO OLVIDES QUE:

Los hijos de los hombres, son Uno,
Y YO SOY, Uno con ellos.
Busco Amar, no odiar.
Busco servir, no exigir servicio.
Busco curar, no herir.
Que el dolor traiga recompensa de Luz y Amor.
Que el YO SOY, Mi Cristo interno,
controle la forma externa,
mi vida y todos los acontecimientos.
Y revela al AMOR que subyace en toda vida.
Que venga la visión y la intuición,
y que el futuro sea revelado.
Que la unión interior se manifieste
y desaparezcan las divisiones externas.
Que prevalezca el AMOR
y que todos los hombres se amen.
Que así sea y cumplamos nuestra parte.

ÉXITO

YO SOY Luz radiante, vencedor, hijo de Dios, todo sabiduría, todo amor. Gobierno supremo en todos los asuntos de mi mente y cuerpo. La Infinita Sabiduría me guía, el Divino Amor me prospera, y tengo éxito en todo lo que emprendo. Gracias Padre que es así.

ILUMINACIÓN

YO SOY la iluminada criatura de Dios llena del Espíritu de Divino Amor y Sabiduría, por el cual soy guiada(o) en todos mis caminos y dirigida(o) a aquello que es mi más alto bien.

PARA CORREGIR HÁBITOS INDESEABLES

Arcángel Miguel, con tus Legiones de Luz, en el nombre de mi Amada Presencia "YO SOY" y en el de toda la humanidad, te pedimos que cortes y separes de nosotros toda creación humana de tendencia y hábitos imperfectos que a través y entorno nuestro están presionándonos; reemplázalos con pureza, perfección y armonía.

Ayúdanos a liberar toda vida en esta ciudad, país, continente y en toda la Tierra; llenen a la humanidad con fe en la Bondad de DIOS y ayúdenla a hacer contacto consciente con su proyecto divino.

Doy gracias.

ORACIÓN DE MI YO SOY AL UNIVERSO

En nombre de mi Amada Presencia YO SOY, de mi Santo y Puro Ser Crístico, del Santo Ser Crístico de toda la humanidad, en nombre de Saint Germain, de Jesucristo, y de todos los seres de Luz de la Gran Hermandad Blanca, de la Madre del mundo, de la Vida elemental: Fuego, Aire, Agua y Tierra. En el nombre y por el poder magnético de la Inmortal y victoriosa Llama Trina ardiendo dentro de mi corazón y en el Corazón de Dios desde el GRAN SOL CENTRAL. Como hija(o) de Dios yo decreto: Este año y los próximos, son para mí de gran transmutación kármica.

Estoy consciente de mi Propio Cristo y lo dejo actuar totalmente a través de mí, porque Él, en mí, hace perfecto todo lo que a mí me concierne.

Donde YO SOY y estoy, todo se llena de paz y de amor.

Todas las personas que contacto, son bendecidas con el despertar de su Consciencia Crística, de su Propio Cristo Interno.

Mis hijos son bendecidos con su pareja perfecta, con su trabajo perfecto, con una vida perfecta en amor, salud, armonía y abundante riqueza.

Mi casa, mi hogar, y mi familia son siempre protegidos contra todo mal: envidias, desastres, fracasos, etc., porque el Sagrado Fuego Violeta arde en este hogar y en cada corazón, mente y cuerpo de cada miembro de la familia. Tengo toda la abundancia que mi Padre me ha dado desde la eternidad. YO SOY la abundancia del Universo trayendo a mis manos todo lo que necesito y deseo en mi servicio a la VIDA.

Bajo la Gracia y de manera perfecta, ahora se manifiesta, se manifiesta, se manifiesta. Esto que pido para mí, lo pido también para toda la humanidad (México). Gracias Padre que ya me lo has dado.

PRACTÍCALO

1. En toda situación está Dios presente. Cuando te ocurra algo que juzgues desagradable o sencillamente desfavorable, di: "En esta situación hay un bien escondido para mí, bendigo ese bien y pido que se manifieste".

En seguida verás cómo cambian las circunstancias y lo que parecía negativo, se torna positivo. No te olvides de añadir: "Doy gracias".

2. Cuando necesites algo y no lo tengas a la mano, o parezca que no hay, Di: "Mi mundo contiene todo, yo necesito tal cosa y pido que se manifieste. Doy gracias".

Si no aparece lo que buscas o necesitas, conseguirás en seguida un similar, algo que pueda sustituirlo. Pruébalo y verás. ¡Ah!, pero no olvides que el principal ingrediente es la fé, con fé todo se logra.

PLEGARIA DEL MAESTRO LANTO

En el Nombre de Dios Todopoderoso
Listo para cambiar la noche en Luz.
Focalizando en la Consciencia del Señor Buda,
¡Soy la Llama de Loto de Mil Pétalos!
¡En Su Nombre llevo la Luz!
¡Y con el cetro del Poder Crístico
cambió las tinieblas en Luz!
Animo las alturas estrelladas. La Consciencia de [los Ángeles,
Maestros, Elohim y Soles Centrales,
Así como toda vida.
¡Esta es la Presencia "YO SOY" en cada uno!
Yo proclamo la Victoria en nombre de Dios
Yo proclamo la Luz de la Llama Solar
¡Yo proclamo la Luz! ¡"YO SOY" la Luz!
¡"YO SOY" la Victoria! ¡"YO SOY" la Victoria! [¡"YO SOY" la Victoria!

En el Nombre de la Madre Divina y del Divino
[Hijo del Hombre,
Por la corona de la Vida y las Doce Estrellas Celestes,
Proclamo el gozo de la Salvación en nuestro Dios
Desde el interior de mi Corona,
Desde el interior del Sol Central,
Desde el interior del Alpha, ¡Así sea!

Doy Gracias

PUEDA YO VENCER EL HÁBITO DE LA CÓLERA

¡Oh Eterna tranquilidad! Sálvame de los ataques de la furia y la agitación, que alteran los nervios y nublan el cerebro.

Ayúdame a desterrar el hábito de la cólera, que trae la infelicidad para mí y para los que me acompañan; no me dejes tener indulgencia con este malvado y egoísta hábito que trata de enajenarme, para alejarme del afecto de mis amados amigos.

Que jamás vigorice los resentimientos y enojos que revivan las abrazadoras llamas de la ira.

¡Oh Reina de la Quietud! Cuando me encolerice o enfurezca, coloca delante de mí un espejo de disciplina interna, que permita verme desfigurado por la fealdad

de la pasión arrebatadora, evitándome aparecer ante los demás con la cara alterada por las indignaciones.

Que mis dificultades en la vida sean solucionadas a través de pensamientos puros y acciones amorosas que destruyan el odio y el egoísmo. Bendíceme, para que cure mis heridas de ira con el remedio del respeto propio, y que pueda también ayudar a sanar a otros de sus males de ira con el bálsamo de mi bondad.

¡Oh Espíritu Infinito! Hazme comprender en todo momento que, aún mi peor enemigo, es siempre mi hermano: y que así como Tú me amas a mí, Tú lo amas a él.

Doy gracias.

AL DESPERTAR

Agradecemos al Eterno por su Amor y por la profunda Alegría que resulta del cumplimiento de Sus Mandatos.

A todos nuestros amados Hermanos y Hermanas les deseamos un cuerpo sano, un corazón puro, un alma serena:

—Para que todos sus días sean iluminados por la verdadera felicidad sin la que no puede haber un "¡Buen Día"!

—Para que todo en ellos pueda clamar a los humanos, el Amor, la Sabiduría y la voluntad del Padre. "¡Buen Día"!

PARA CURACIÓN

¡Amada Poderosa Presencia "YO SOY", éste es tu cuerpo!

¡Asume el comando y posesión completa de él! ¡Con tu corriente purificadora de energía borra todo mal en él! ¡Saca de él toda cosa que sea menor que Tu Perfección y llénalo con toda cosa Divina! ¡Mantén Tu Divino control en y sobre mí y mi mundo y vela para que yo no permita de nuevo que la Discordia o imperfección juzguen mal Tu Perfecta Energía. Cárgame con Tu Salud y manténla sostenida eternamente. Yo acepto tu manifestación instantánea y Te doy las gracias y bendiciones a Ti para siempre!

LIBERACIÓN DEL PASADO

Mi corazón está en paz porque sé que Dios con Su amor y bendición, me ha liberado de los errores del pasado. Seguro de su constante bendición, enfrento el futuro, fuerte, sabio y sin temor. Doy gracias por todo este bien.

PARA CUANDO ANDAS ESCASO DE DINERO

"YO SOY" la Resurrección y la Vida de mi provisión ilimitada de dinero, de toda la perfección de mi mundo y de mi Proyecto Divino. Gracias por tu bondad.

MEDITACIÓN DE LUZ

En tu lugar sagrado, donde quiera que sea, puedes escuchar música de Luz como Celeste Aída, de Verdi, o Sueño de amor de Lizt u otras similares. Enciende una varita de incienso pues ayuda a elevar nuestras vibraciones mentales y a conectarnos con Nuestro Cristo interno. Enciende una vela blanca con el mismo fin.

Siéntate tranquila(o) y cómodamente, con tu columna vertebral derecha, relájate haciendo tres respiraciones profundas. Ahora tu mente se encuentra emitiendo ondas Alfa que es el estado adecuado de meditación.

Visualiza tu corazón como un Sol, radiante, escucha sus latidos y vé, cómo con cada uno de ellos; tu Luz se expande más y más. Afirma:

Siento la Luz y el Amor Divino fluyendo a través de mí intensamente. Siento cómo penetra por mi cabeza desde mi Presencia YO SOY y va inundando lentamente todo mi ser.

Decreta: YO SOY Luz, Candente Luz, Luz intensificada.

DIOS consume mis tinieblas transmutándolas en Luz.

Este día YO SOY un foco del Gran Sol Central.

A través de mí fluye un río cristalino.

Una fuente viviente de Luz.

Que no puede ser calificada por pensamientos y sentimientos humanos. YO SOY una vanguardia de lo Divino.

Las tinieblas que me han usado son ahora consumidas por el poderoso río de Luz que YO SOY.

YO SOY, YO SOY, YO SOY LUZ.

Yo vivo, yo vivo, yo vivo en la Luz.

YO SOY la máxima dimensión de la Luz.

YO SOY la más pura intención de la Luz.

YO SOY LUZ, LUZ, LUZ. Voy saturando al mundo por doquier;

Bendiciendo, fortaleciendo e impartiendo el PROPÓSITO DEL REINO DE LOS CIELOS.

AFIRMACIONES DIARIAS

—"YO SOY" la única presencia en mí, las células de mi cerebro son rejuvenecidas, mi mente es viva, alerta e inteligente.

—"YO SOY" joven, porque soy perpetuamente renovada(o), mi vida llega nueva en cada momento de la fuente infinita de la vida.

—Quita de mi alma esta languidez y ayúdame Fé, para esperar la dicha que me aguarda.

—Yo como solamente los alimentos requeridos para un cuerpo saludable y juvenil. Mi perfecto peso es ____ kilos y doy gracias por ese peso perfecto. "YO SOY" juvenil, llena(o) de gracia, saludable y todas las células de mi cuerpo están penetradas de esa idea. "YO SOY" el cuerpo perfecto de "YO SOY".

—"YO SOY" nueva(o) cada mañana y renovada(o) cada atardecer porque vivo, me muevo y tengo mi ser en "YO SOY", la fuente de toda vida. "YO SOY" constantemente renovada(o), constantemente llena(o) de frescura.

—Mis procesos vitales están perpetuando las ideas de juventud en mi cuerpo. Cada átomo, cada célula, es renovada. Las viejas ideas, cualquier idea de edad, es eliminada de mi mente y borrada de mi cuerpo. Los procesos de mi vida están marcados por las renovadoras ideas dadoras de juventud y "YO SOY" eternamente joven en "YO SOY".

—"YO SOY" joven, siempre joven, fuerte, animada(o). No puedo envejecer ni volverme decrépita(o), porque en la verdad de mi ser soy divina(o) y el principio divino no puede envejecer. Mi mente crea constantemente el diseño de juventud en lugar de la imagen de la vejez. "YO SOY" joven, siempre joven.

—La vida de Dios se expresa perfectamente en mi circulación, a través de mis venas y arterias.

—Yo estoy siempre juvenil, llena(o) de frescura, descansada(o) y sin tensiones. Yo me siento joven, actúo como joven porque en verdad soy espíritu.

—Mi apetito está bajo el control y dirección de mi amada Presencia "YO SOY"; por lo tanto no como más de lo necesario. Mis apetitos son satisfechos por el espíritu.

—ILUMINACIÓN: Yo quiero hacer la voluntad de Dios. Él me dirige, enseña y mi camino es claro.

—GENERAL: Yo quiero hacer la voluntad de Aquél que me envió. Acepto el plan divino. Me sostengo firme en la Verdad.

—CURACIÓN: Yo acepto la Voluntad de Dios como perfecta salud en mente y cuerpo.

—PROSPERIDAD: Yo acepto la Voluntad de Dios en mis asuntos. El Orden y la Prosperidad son míos.

—Ante problemas de escasez: ¡"YO SOY"!, ¡"YO SOY"!, ¡YO SÉ QUE "YO SOY" el uso de la opulencia ilimitada DE DIOS!

—Cuando queramos limpiar nuestra mente de todo pensamiento destructivo, negativo, rencoroso, etc. Decir: "YO SOY la PUREZA INMACULADA YO SOY".

ORACIÓN DE CURACIÓN

Amado Saint Germain, Amado Arcángel Zadkiel. Manténganme envuelta(o) en el Pilar de la Luz Violeta, que transmuta y disuelve toda creación imperfecta de ayer, hoy y mañana, mía y de otros. Amados Ángeles de la Llama Violeta. Enciendan y mantengan encendida en el Pilar de la Luz Violeta a todos mis seres queridos, a todos mis Hermanos humanos, al mundo Elemental, a toda vida que necesite ser libertada y transmutada en purificación. Amada Presencia de Dios "YO SOY" en mí y en (*) "YO" te bendigo, Tu Cristo y mi Cristo son hechos de la misma sustancia de Dios, somo hijos de Dios hechos a su imagen y semejanza. Gracias Padre, Tú eres vida y la vida de Dios está en mí y en (*), nada temo, porque sé que la fuente de la vida está en (*), "YO" niego toda enfermedad, Todo decreto de los Médicos "YO" decreto la verdad y sé que si está en Ley, Dios llena de su fuerza Positiva en sus "YO SOY" y hace *presión en su Cristo para que todo su Ser y todo su Sistema cumplan su misión en Tu Ley Divina. Gracias Padre, sé que Tú no nos desamparas.*

*** Nota: Aquí mencionar a la persona que se desea reciba esta ayuda.**

YO SOY LA RESURRECCIÓN Y LA VIDA

De todo el bien de mi vida.
De mi eterna juventud y belleza.
De mi vista perfecta.
De mi oído perfecto.
De mi salud perfecta.
De mi fuerza sin límites.
De mi energía y valor.
Del Amor de Dios.
De mi invencible protección.
De mi provisión inagotable de dinero y de toda [cosa buena.
De la Luz que no falta jamás.
De la Paz y la Libertad de la Tierra.

Doy gracias.

MANTO DE LUZ

Es muy importante decretar el Manto de Luz, todas las veces que puedas para ti, para tus seres queridos. El Manto de Luz te conecta con tu Propio Ser Crístico interno y además te protege en toda situación y de cualquier peligro.

Visualízate dentro de una columna de Luz blanca radiante y no salgas de ella en ningún momento.

Oh constante y amante Presencia YO SOY en mí, TÚ Luz de Dios que estás arriba de mí, que tus rayos formen un círculo de fuego delante de mí para alumbrar mi camino.

Con plena fé te invoco para que, desde mi propia Divina Presencia YO SOY, coloques un pilar de Luz a mi alrededor ahora mismo. Mantenlo intacto en todo momento, manifestándose como un reluciente rocío de la bella luz de Dios a través de la cual, nada humano pueda jamás pasar. Hacia este bello círculo eléctrico de energía divinamente cargada, dirige una viva oleada del Fuego Violeta de la clemente Llama Transmutadora de la Libertad.

Haz que la energía siempre creciente de esta Llama, proyectada hacia abajo, al campo de mis energías, humanas, cambie completamente toda condición negativa de la polaridad positiva de mi Gran YO Divino. Que la magia de su merced purifique mi mundo con Luz para que toda persona que yo contacte, sea siempre bendecida con la fragancia de violetas del propio Corazón de Dios, celebrando aquel amanecer bendito, en que toda discordia causa efecto, registro y memoria, se hayan convertido para siempre en la victoria de la Luz y la paz de Jesucristo ascendido YO SOY y acepto ahora constantemente el pleno poder y manifestación de este Fiat de Luz, y lo invoco para que entre en acción instantáneamente por mi propio libre albedrío recibido de Dios, y por el poder de acelerar ilimitadamente este Sagrado suministro de asistencia, desde el Propio Corazón de Dios hasta que todos los hombres hayan ascendido y sean libres en la Luz que nunca, nunca, nunca falla.

Saint Germain.

BENDICIONES

Recuerda cada mañana, bendecir todo lo que tienes: tu Propio Cristo, tu mente, tus cuerpos inferiores tu trabajo, tus hijos, tu casa, tu esposo, todo lo que te rodea.

Toda bendición engrandece una cosa, la magnífica. Bendice en el nombre y por el poder y autoridad de mi Amada Presencia YO SOY.

Bendigo mi vida, mi Propio Ser Crístico, bendigo cada latido de mi corazón.

Bendigo a mis hijos, a mi esposo, para que manifiesten sólo la perfección de su Cristo Interno en este día.

Bendigo mi trabajo, mi negocio, para que expresen la abundancia del Padre.

Bendigo mi hogar, mi casa, mis muebles, y les agradezco su servicio y su protección.

(Siente profundamente y visualiza en el centro de tu hogar una hermosísima Llama Trina).

Afirma: YO SOY la Gran Presencia de Dios en mi familia, en cada uno de mis hijos, en mi esposo, en cada uno de los miembros de mi familia, en mi trabajo, en mis vecinos, en mi negocio, en mis clientes y proveedores, manifestándose en ellos la perfección de Dios.

Gracias Padre.

EL ESPÍRITU DEL SEÑOR HACE FÁCIL Y TRIUNFANTE MI CAMINO

Porque yo estoy consciente en todo momento de la Presencia radiante y triunfante del Cristo que mora en mí, mi cuerpo siempre vierte salud y mi corazón desborda alegría.

PARA LAS TENTACIONES DE LA LUJURIA

"YO SOY" la pureza de Dios manifestada. Mi cuerpo es el Templo de Dios. El Espíritu de Dios habita en mí. Yo cuido este cuerpo y lo mantengo limpio, sano, equilibrado, puro. Yo niego a la bestia en mí. "YO SOY" un ser humano en proceso de ascensión hacia mi evolución más alta. Yo domino todo pensamiento menor que la pureza en mí y como "todo es mente" hago la sustitución en mi pensar y en lugar de lo que está pensando, pongo la Presencia de Dios en mí como voluntad para no caer en pensamientos deshonestos. "YO SOY" la pureza de Dios manifestada. Gracias Padre que tú me defiendes contra la bestia de la lujuría. Yo pienso, siento y actúo en belleza, la belleza es alta, resplandeciente, pura, invoco a los Ángeles de la Llama Blanca para que vengan en mi ayuda. "YO SOY" la pureza de Dios en acción.

ORACIÓN PARA UN CUERPO PERFECTO

"YO SOY" un canal abierto para que fluya en y a través de mí la Vida Perfecta de Dios.

Un balance perfecto se establece ahora en mi mente y en mi cuerpo. Yo tengo completo dominio sobre mi dieta y mi alimentación.

Mi apetito y la asimilación de mis alimentos está funcionando a perfección, y por lo tanto mi cuerpo manifiesta un peso adecuado, orden divino y simetría perfecta.

Cada glándula de mi cuerpo es dirigida por la INTELIGENCIA DIVINA y funciona a perfección.

Todos los alimentos que yo como son bendecidos por DIOS, y contienen las vitaminas necesarias para sostener mi cuerpo en perfecta salud y mantener el peso necesario.

Yo tengo absoluto dominio sobre mi apetito y tan sólo como aquella cantidad de alimento que ha de nutrir mi cuerpo a perfección.

Yo me siento completamente libre de la preocupación del exceso de peso, y me siento ágil, y me muevo con facilidad.

Visualizo mi cuerpo como DIOS lo ideó: Sano, puro, perfecto, simétrico y con el peso que mi estatura requiere.

¡Gracias PADRE, porque yo sé que es así!

POR LA MAÑANA AL DESPERTAR

Dirige tu primer pensamiento a Dios, al Padre. Siéntelo en cada latido de tu corazón. Afirma:

Gracias Padre porque Tú vives en mí, así como yo vivo en TI. Te agradezco por este día tan perfecto. Sé que una maravilla seguirá a otra maravilla y que los milagros ya nunca cesarán.

Vé ahora con tu pensamiento a tu corazón y visualiza tu Llama Triple emergiendo de él y afirma:

YO SOY el Poder, la Sabiduría y el Amor Divino en equilibrio, YO SOY la Llama Trina en acción en mí ahora. (3 X).

(3X) Significa tres veces.

POR LAS NOCHES AL ACOSTARSE

Padre: Yo perdono a todo el que necesita mi perdón y a mí mismo; y aunque sé que en el plano espiritual no existe nada qué perdonar, yo perdono porque así transformo la idea del que cree hacerme el mal, invito a mis guías invisibles a utilizar mi sueño para yo hacer el bien en donde sea oportuno. Gracias te doy, Padre adorado.

ORACIÓN DE OBEDIENCIA

¡Haced, Señor, que nuestros deseos se cumplan! Pero nos inclinamos ante vuestra sabiduría infinita. Sobre todas las cosas que no nos es dado comprender, que se haga vuestra santa voluntad y no la nuestra, porque vos sólo queréis nuestro bien y sabéis mejor que nosotros lo que nos conviene.

IRRADIANDO AMOR

YO SOY el Amor Divino proyectado hacia todo lo que conozco, recuerdo y contacto.

YO SOY lleno de perdón para darlo a todo el que lo necesite, especialmente a los que se han ido de este plano (difuntos), YO SOY llenando mi corazón de Amor para derramarlo sobre el mundo entero.

Dios todopoderoso y misericordioso, aquí tenéis un alma que deja su envoltura terrestre para volver al mundo de los espíritus, que pueda entrar ahí en paz y que vuestra misericordia se extienda sobre ella.

Dirigid su pensamiento a fin de que su acción haga menos penosa la separación, y que lleve a su alma, en el momento de dejar la Tierra, los consuelos de la esperanza.

AFIRMACIONES PARA MI MENTE

El pensamiento es una energía divina que tiene el poder de sacar su objeto, de la Sustancia invisible, que nos rodea. Por lo tanto:

1.—Conserva en tu mente la imagen de lo que deseas y pronto lo verás reflejado en el mundo exterior.
2.—Elimina los pensamientos contrarios.
3.—Nunca aceptes los pensamientos o ideas que temes que te sucedan. Afirma: En nombre de Dios, esto no lo acepto.
4.—Las imágenes mentales son energía concentrada. Y esta energía concentrada y proyectada sobre cualquier idea, se convierte en poder.

YO SOY la Presencia de la Mente universal, en mi mente individual, Mi mente, es una con la Mente Cósmica de Dios, por eso es una prodigiosa máquina de hacer milagros.

Hay en mi mente una facultad infinita, un poder que me guía al sitio justo, en el momento preciso, a decir la palabra exacta, para hacer la cosa perfecta, en el momento debido. Yo reconozco esta facultad y poder y confío en ellos plenamente, y no habrá límite hacia donde me puedan conducir.

TRATAMIENTO DE CURACIÓN

Una infinidad de personas ha encontrado paz mental y armonía en su cuerpo físico mediante el siguiente y sencillo tratamiento de curación.

Al retirarte por la noche, cuando vayas a dormir afirma mental y verbalmente, como mejor lo prefieras:

"YO SOY FUERZA, SALUD, PAZ, PROSPERIDAD Y FELICIDAD". "El Espíritu de Dios que está activo en mí, fluye por todo mi cuerpo físico como una corriente purificadora limpiadora y curativa, que renueva toda obstrucción y trae paz, salud y armonía a todo mi cuerpo.".

"Yo soy feliz, lleno de paz, y me encuentro en completo reposo".

"Soy eternamente vigoroso y radiante de vida".

"Estoy alegre, animado, vivaz, libre...".

"Me levantaré por la mañana lleno de energía, radiante, y con la fortaleza necesaria para llevar a cabo todas mis obligaciones del día".

PARA EVITAR QUE ALGO NOS VENZA

¡Oh no! Hubo una vez en que fuiste dueño, ahora "YO SOY", una vez fuiste amo, pero ahora "YO SOY".

¡Oh Magna Presencia "YO SOY". Toma el mando y detén esto!

LA PALABRA DIARIA

COLOCO MI PERSONA MI FAMILIA Y TODOS MIS ASUNTOS EN LAS AMOROSAS MANOS DEL PADRE:

El colocarme a mí mismo, mis seres queridos y todos mis asuntos en las amorosas manos del PADRE, trae una gran sensación de paz y alivio a mi alma. No tengo nada que temer, pues el AMOR DE DIOS me rodea, envuelve y protege. No tengo que estar ansioso acerca del resultado de ninguna situación, porque DIOS está presente en ella y en todas las personas envueltas en la misma. DIOS es el poder que trabaja para el bien y hace todas las cosas bien.

No me inquieto ni preocupo por mis seres queridos pues, los coloco amorosamente en las manos del PADRE. Confió su espíritu en ellos para que los guíe, para que sea su luz e inspiración, para que les muestre el camino.

No me impaciento porque sé que en el momento correcto y de la manera correcta, vendrán las respuestas. Se me mostrará qué hacer. Coloco mi persona, mis seres queridos y todos mis asuntos en las amorosas manos del PADRE.

ORACIÓN INSPIRADORA

En nombre de Dios Todopoderoso, espíritus buenos que me protegéis, Ángeles Guardianes, inspiradme con la divinidad de las alturas para que tome una buena resolución en la incertidumbre en que me encuentro, para actuar correctamente sin que mi decisión pueda perjudicar a nadie, y sí resulte beneficiosa para mi propósito.

PARA DECIR CADA MAÑANA

Yo soy siempre un gigantesco pilar de Llama Violeta Consumidora, de Puro Amor Divino, que trasciende todos los conceptos humanos y derrama constantemente todo el triunfo y toda la perfección del Padre.

¡Poderosa Presencia YO SOY! Asume el mando absoluto de mi mente, mi cuerpo y mi mundo; aplica tu CRISTALINA LLAMA VIOLETA CONSUMIDORA en mí y consume todos mis errores y defectos pasados y presentes, su causa y efecto, y disuelve todos mis problemas para siempre.

¡Poderosa Presencia YO SOY! Aplica en mí tu CRISTALINA LLAMA VIOLETA CONSUMIDORA y consume toda influencia contraria a la paz y al bienestar propio y de todos los que me rodean. Envuél-

veme en tu Canal de Luz y energía como una poderosa muralla contra la cual choquen toda fuerza negativa destructiva y no benéfica, y vuelvan a su punto de origen transmutadas en Buena Voluntad, en Amor y Bienestar hacia todos los que alcance en su acción.

PARA PROSPERIDAD

Amada Presencia de DIOS "YO SOY", en mí, Amado Arcángel Chamuel, enciendan la Llama Rosa de la Adoración a DIOS a través de Mí, mi Dinero, mi Provisión, duplíquenlos, triplíquenlos y conviértanlos en mi Libertad financiera ahora. Gracias.

ANTES DE COMENZAR A COMER

Gracias te damos PADRE por este alimento que TU DIVINA PROVIDENCIA, nos proporciona. Que jamás nos falte a nosotros, ni a nuestros hijos ni a ninguno de nuestros hermanos sobre la Tierra. Bendecidos sean nuestros Ángeles Proveedores y nuestra amada y Ascendida maestra Lady Nada. Bendecidas y prosperadas sean las personas que han trabajado para que tengamos este alimento en nuestra mesa. Bendecidos y ascendidos sean los animales y las plantas que han dado su vida por nosotros. Asimismo, bendecidos y ascendidos sean los Elementos Fuego, Agua, Aire y Tierra que para nosotros trabajan. Si algún Elemento está atado a una corriente de vida, pido que sea desatado y ascendido. En nombre de mí TODAPODEROSA y MAGNA PRESENCIA "YO SOY" decreto: que se manifieste en todo hombre la voluntad de no matar, así decretamos desde ahora y para ya, la alimentación vegetariana.

...Gracias PADRE, que nos oíste.

PARA EL QUE SE SIENTE ENFERMO

No he de enfermarme, no estoy enfermo. Ya voy a ser sano. Soy sano por la integridad de Dios.

¡Gracias por sanarme!

PARA MANTENER EL HOGAR LIBRE DE COSAS INDESEABLES

"YO SOY" la presencia gobernante, dirigiendo en perfecto orden divino, comandando la armonía, la felicidad y la presencia de la opulencia de Dios en mi mente, mi hogar y mi mundo.

LLÉNATE DE LUZ Y DE AMOR

Este ejercicio puedes hacerlo en cualquier parte, pero no dejes de hacerlo.

Respira tres veces profundamente: inhala en 4 tiempos, retén el aire por otros 4, y exhala también en 4 tiempos.

Vuelve tu consciencia a tu corazón y escucha su latir. Mira cómo una Pequeña Chispa de Luz dorada emerge desde el fondo y se va expandiendo cada vez más; hasta iluminar completamente tu pecho, tu cuerpo y más allá, brillando intensamente.

Siente profundamente cómo te llenas de Luz y afirma:

La Luz y el Amor Divino fluyen por todo mi cuerpo. (3X).

Ahora lo siento y lo irradio fuera de mí hacia todo lo que me rodea.

Mira cómo te vas convirtiendo en un Sol, irradiando Amor y Luz hacia donde tú lo desees. Quédate así por 5 minutos o más y después vuelve lentamente a tu oración.

(3X) Significa tres veces.

AL LEVANTARSE POR LAS MAÑANAS

¡Gracias PADRE por este nuevo día de vida que tu AMOR me concede; es una nueva aventura que voy a vivir, que sea para TU GLORIA, para mi bien y el de mi prójimo. Que yo no haga hoy mi voluntad sino la TUYA, PADRE y ahora indícame mi parte a desempeñar en TU PLAN DE HOY, la desempeñaré con AMOR y con ALEGRÍA!

¡PADRE! ¡TE AMO! ¡TE AMO! ¡TE AMO! Gracias PADRE por todo el bien que me tienes preparado en este día.

DECRETO DE SINTONÍA

Para sentir la unidad con el Espíritu Santo las 24 horas de cada día y Él pueda actuar en los momentos de crisis, de peligro o en alguna catástrofe debes sintonizarte con tu Amada Presencia desde antes de levantarte.

Amada Presencia YO SOY, Padre de toda vida,
Actúa en mí este día, Llena mi cuerpo.
Dame la Luz que necesito para salir a cumplir
[Tu voluntad.
Cuida que todas mis decisiones sean de acuerdo a
[Tu Divina Voluntad.
Cuida que todas mis energías sean utilizadas
[para engrandecerte en cada persona
[con quien me encuentre.
Cuida que Tu Sagrada Sabiduría entregada a mí,
Sea utilizada para la expansión del Reino de Dios.
Pero por sobre todas las cosas Amado Padre Celestial,
Yo te encomiendo mi espíritu,

Que tu Llama sea una con mi Llama
Y que estas dos Llamas juntas al vibrar,
traigan a mi vida la sintonía y la vigilancia que
[necesito,
Para con tu Divina Presencia, el Espíritu Santo,
y la Madre del Mundo.

Madre María.

CUANDO SIENTAS IRA

"YO SOY" el Amor de DIOS en Acción. (Repite esto seguidamente, hasta que la ira deje de ser en ti. Verás cómo te calmas instantáneamente).

PARA HACER CREACIONES MENTALES PURAS

Amada Presencia Crística en Mí. ayúdame a crear. El pensamiento y la palabra hablada tienen el Poder Creativo, todo lo que se dice tiende a volverse realidad; así pido que mis creaciones mentales sean obra del Espíritu Santo. En nombre de mi "YO SOY" que es la presencia de Dios en Mí, declaro que mi palabra es buena, que yo sólo hable y decrete el bien que es la verdad, que yo sólo piense el bien, que yo sólo sienta el bien y que yo sólo acepte el bien, que es Dios mismo.

CUANDO SIENTAS QUE TUS FUERZAS DECAEN

El Poder de DIOS se manifiesta en Mí como Fortaleza, "YO SOY" Fuerte en el Señor con toda la Fuerza de su Poderío. "YO SOY" la Energía Divina actuando. Gracias Padre, que es así.

PARA CADA DÍA

Yo califico mi ser y mi mundo con Perfección y toda imperfección que quede en mí tiene que irse porque "YO SOY" perfecto.

PADRE

Te obedezco en el templo de la disciplina.
Te amo en el templo de la devoción.
Te adoro en el templo de mi amor.
Toco tus pies en el templo de la calma.
Miro tus ojos en el templo del gozo.
Te siento en el templo de la emoción.
Lucho por alcanzarte en el templo de la meditación.
Gozo TU PRESENCIA en el templo de la paz.
La paz me penetra como una fragancia.
La paz se difunde a través de mí como rayos de [LUZ.
La paz anula en mí toda incomodidad y todo [ruido.
La paz ha disipado en mí toda inquietud.
La paz, como un océano, ondula en el espacio entero.
La paz, como encendida sangre, da vida a todos [mis pensamientos.
La paz, como una inmensa aureola, circunda mi [cuerpo de infinito.

La paz, irradia a través de los poros de mi carne y
[llena el espacio entero.
El perfume de la paz flota sobre los jardines de rosas.
El vino de la paz corre perpetuamente en los
[lugares de todos los corazones.
La paz es el sustento de las rocas, de las estrellas y de
[los hombres sabios.
La paz es el néctar del espíritu que fluye del ánfora del
[silencio, y de la cual bebe a grandes
[sorbos mi ser entero.

LA GRAN INVOCACIÓN

La Gran Invocación es una poderosísima oración universal que se utiliza para invocar las Energías Divinas para la sanación y elevación de Nuestro Planeta.

Si deseas puede unirte a la Red de Oración donde quiera que estés diariamente a las doce del medio día. (O cualquier hora si no te es posible).

Unámonos a esos Grupos de Luz que a diario oran por Nuestro Planeta, Utilicemos nuestra fuerza de unión, conectémonos a la Red Planetaria de Luz, que seres amorosos entretejen diariamente a través de la oración, de la Gran Invocación.

Conectémonos cualquiera que sea nuestro credo o religión.

Unámonos en nuestros pensamientos y corazones y no seamos un ser solicitario, sino una pieza clave en la inmensa y divina maquinaria para el cumplimiento del Plan de Dios para la Tierra. Sintamos nuestra conexión con todos nuestros hermanos de Luz y oremos al Padre.

ORACIÓN A LA MADRE DIVINA

Madre Divina: Yo perdono de todo corazón a mis enemigos conocidos y desconocidos, visibles o invisibles, encarnados o desencarnados. Madre Divina: Para ti todo mi amor, para ti solamente, desde hoy y para siempre, porque al darte todo mi amor, oh MADRE-DIOS se lo doy a toda la CREACIÓN, obra tuya como DIOS-PADRE.

Para ti, DIOS-PADRE de Justicia; para ti DIOS-MADRE de Misericordia. Madre Divina: Gracias porque aceptas mi amor incondicional desde hoy y para siempre.

LAS FUERZAS DE LA LUZ

(Visualiza multitud de corazones orando contigo)

Desde el punto de Luz en la Mente de Dios,
Que fluya Luz a las mentes de los Hombres.
Que la Luz descienda a la Tierra.

Desde el punto de amor en el Corazón de Dios,
Que fluya Amor a los Corazones de los Hombres.
Que Cristo retorne a la Tierra.

Desde el centro donde la Voluntad de Dios es conocida
Que el Propósito guíe a las pequeñas voluntades de los
[Hombres.
El Propósito que los Maestros conocen y sirven.

Desde el centro que llamamos la Raza de los Hombres,
Que se realice el Plan de Amor y de la Luz
Y selle la puerta donde se halla el mal

Que la LUZ, el AMOR, y el PODER,
Restablezcan el Plan Divino en la Tierra.
Que las Fuerzas de la Luz iluminen a la humanidad.
Que el Espíritu de Paz se difunda por el Mundo.
Que el Espíritu de colaboración una a los hombres de
[Buena Voluntad, dondequiera que estén.
Que el olvido de agravios por parte de los hombres,
[sea la tónica de esta época.
Que el Poder acompañe a los esfuerzos de los Grandes
[Seres.
Que así sea y cumplamos nuestra parte.

ORACIÓN SOLAR

¡Oh Fuerza Universal y Cósmica!
¡Energía misteriosa...
Seno fecundo que de todo nace! ¡TU, Logos Solar!
¡Cristo en sustancia y en consciencia!
¡Vida Potente por la que todo avanza!
¡Ven hacia mí! ¡Alúmbrame, báñame, traspásame,
[inúndame!
Despierta en mí yo, todas esas sustancias inefables
[que son parte de Ti, como de mí misma(o).

****¡Oh Fuerza Universal y Cósmica!*
¡Energía misteriosa!
¡Yo te conjuro! ¡Ven hacia mí!
Dame poder para tener suerte, fortuna, dinero,
[trabajo, salud, paz, abundancia,
[armonía en mi hogar.
Reinas absolutamente en el corazón de mis seres
[queridos y de todos los que me rodean
*[visibles e invisibles.****

Por lo que ha sido, es y será, por los siglos de
[los siglos...

****Yo triunfaré, yo triunfaré, yo triunfaré...*
¡Yo siento tu Presencia Señor!
¡Yo siento tu Presencia Señor!
¡Yo siento tu Presencia Señor, y al sentirla
[Padre mío
Tengo Tu Amor y Tu gracia... Con esto me basta
[para triunfar!

¡BENDITO SEAS!

*****(3X) Significa tres veces.**

BENDICIÓN DEL TRABAJO O ESTUDIO

YO bendigo este trabajo (o estudio) y lo ofrezco para el bien. DIOS es sustancia, es vida, es amor. YO SOY la Resurrección y la Vida del decreto constitucional que hice con respecto a esta situación.

PARA LAS TENTACIONES DE LA SOBERBIA

"YO SOY" el amor de Dios en acción, YO SOY el muy Amado Hijo de Dios y en cada ser veo mi igual, otro hijo de Dios, mi hermano. Luego YO no soy superior a nadie, ni nadie es superior a mí. por la ley del uno, todos somos Uno ante Dios. Así lo declaro, lo creo, lo acepto.

DECRETO PARA ELIMINAR EL TEMOR AL ELEMENTO FUEGO

Amada Presencia de DIOS "YO SOY" en mí y Amada Astrea, atrae a tu círculo y espada de Llama Azul la causa, núcleo, récord y efecto de todo temor al FUEGO y transmútalo para que se convierta en comprensión e iluminación sobre el uso del FUEGO SAGRADO. Corta las ataduras y liberta a toda Salamandra o Salamandrina que esté atada a una corriente de vida, así esté encarnada o desencarnada.

DECRETO DE LA LLAMA VIOLETA

YO SOY, siempre un gigantesco pilar de Llama Violeta Consumidora de Puro Amor Divino, que trasciende todos los conceptos humanos y derrama constantemente todo el triunfo y la perfección del Padre.

Poderosa Presencia YO SOY, Asume el mando absoluto de mi mente, mi cuerpo, y mi mundo; aplica en mí tu Cristalina Llama Violeta Consumidora y consume todos mis errores y defectos pasados y presentes, su causa y efecto y disuelve todos mis problemas para siempre.

Poderosa Presencia YO SOY. Aplica en mí, tu Cristalina Llama Violeta Consumidora y consume toda influencia contraria a la paz y al bienestar propio y de todos los que me rodean. Envuélveme en tu Canal de Luz y Energía como una poderosa muralla contra la cual choquen toda fuerza negativa, destructiva y no benéfica y vuelvan a su punto de origen, transmutadas en Buena Voluntad, en Amor y en Bienestar hacia todos los que alcancen en su acción.

LANZAMIENTO AL SOL

Visualízate ahora cómo te lanzas hacia el Sol, brillante, radiante y tú en el centro inundada(o) de Luz. Afirma:

YO SOY, la brillante, radiante Presencia de Dios sin Límite de tiempo ni edad. Sin impureza y sin imperfección.

YO SOY, el océano de Luz purísima donde tiene su vida todo lo que contacte mi ser.

Al visualizar ésto, tu propia Luz se expande atrapando en su radiación todo lo que la penetra en pensamiento, sentimiento o acción. Tu Presencia YO SOY ha puesto en movimiento todo el poder de Dios en forma instantánea.

BENDICIÓN DEL ELEMENTO AIRE

Amada Presencia de DIOS "YO SOY" en mí y en toda la humanidad; Amados Aires y Thor, los amamos y les damos gracias. Bendecimos los Vientos del Norte, del Sur, del Este y del Oeste, a los Silfos y Silfides que son vuestros mensajeros, y pedimos que sean transmutadas todas las actividades destructivas del Aire, por medio de la Llama Violeta Consumidora y que nunca más participe el Elemento Aire en ciclones y en ninguna otra actividad destructiva. Os damos gracias.

BENDICIÓN DEL ELEMENTO AGUA

Amada Presencia de DIOS "YO SOY" en mí y en toda la humanidad; Amados Neptuno y Lunara, los bendecimos (tres veces) y les damos gracias, como también a las buenas Ondinas que nos hayan servido a nosotros y a toda la humanidad, que nos estén sirviendo ahora y nos puedan servir en el futuro. Bendecimos el Elemento Agua en todas partes y a las Bellas Ondinas que son vuestras mensajeras y pedimos que sean transmutadas por medio del Fuego Violeta todas las actividades destructivas ejecutadas por medio del Elemento Agua, y que nunca más participen las Ondinas en huracanes, ciclones, mares de leva, inundaciones ni en ninguna otra actividad destructiva. Damos Gracias.

BENDICIÓN DEL ELEMENTO TIERRA

Amada Presencia de DIOS "YO SOY" en mí y en toda la humanidad; Amados Virgo y Pelleur; los amamos, los bendecimos y les damos gracias. Bendecimos a todos los Gnomos y Espíritus de la Tierra que son vuestros mensajeros y a cada átomo de la Tierra de este Planeta, pidiendo que todas las actividades destructivas de los seres terrenos sean transmutadas por la Llama Violeta Transmutadora y que nunca más vuelva a participar el Elemento Tierra en terremotos ni en ninguna otra actividadad destructiva. Os damos gracias.

CIERRA TU AURA CADA MAÑANA AL LEVANTARTE

Une tus manos palma con palma, arriba de tu cabeza. Decreto:

En el nombre de mi Amada Presencia YO SOY, de mi Santo y puro Ser Crístico, desde lo más profundo de mi ser "Cierro mi aura y mis puertas astrales para que ninguna entidad encarnada o desencarnada pueda venir a mí; ni perjudicarme en alguna forma

Gracias Padre que así es.

Después llénate de Llama Violeta purificando tus cuerpos inferiores e irrádiala a todo lo que te rodea.

Visualízate y siente una Gran Llama Violeta que te inunda y te penetra en todo tu ser.

INVOCACIÓN PARA ABRIR LAS CLASES

Amada, Magna y Todapoderosa Presencia de DIOS "YO SOY" en mí y en todos los presentes; Amado Ser Crístico que vives y alientas en el corazón de toda representación de Vida en este Planeta: Amorosamente Te invocamos, Te adoramos, Te bendecimos y Te invitamos para que presidas esta Clase, inspires nuestras palabras y hagas que digamos aquí lo que TÚ quieras que sea dicho; que enseñemos lo que TÚ quieras que sea enseñado; que recibamos lo que TÚ quieras darnos. Invitamos igualmente a los Siete Arcángeles, Siete Ascendidos Maestros y Siete Elohims que presiden los Siete Rayos, con sus Complementos. Legiones de Ángeles y Seres de Luz; a nuestros protectores particulares y a toda la Hermandad Saint Germain.

INVOCACIÓN PARA CERRAR LAS CLASES

Amorosamente agradecidos nos postramos ante la Santa y Misericordiosa Presencia "YO SOY" Universal, ante el Amado Cristo Cósmico y le damos las gracias por su asistencia a nuestra clase. Asimismo agradecemos a la Jerarquía que trabaja en los Siete Rayos, a sus Arcángeles, Elohims y a todos los Seres de Luz que nos han acompañado.

Padre, que todo sea para Tu Gloria, para nuestro bien y el de toda la Humanidad. Bendice nuestros humildes esfuerzos y hazlos prosperar. Te amamos, te amamos, te amamos, y amorosamente, y por la Ley del Uno, nos hacemos Uno Contigo.

PARA LAS TENTACIONES DE LA PEREZA

"YO SOY"la Presencia de Dios en acción. Todo el Universo está en movimiento. Aun lo aparentemente inerte se está moviendo. Todos los átomos tienen vida, están sus electrones en perpetuo movimiento alrededor del núcleo. Nada está inactivo. Luego yo no puedo estar sin hacer nada. Tengo una tarea que cumplir, tengo que ejecutarla, tengo que vivirla. Desecho toda idea de que "no puedo". YO SOY la energía positiva de Dios actuando en mí. Yo me energizo, yo actúo, yo ejecuto. Yo triunfo. Yo voy en busca de mi éxito y mi prosperidad porque "YO SOY" el perfecto hijo de Dios en acción. Gracias Padre por tu energía que me das; voy a usarla sabiamente.

ORACIÓN A LA AMADA MADRE KWAN-YIN

Diosa de la Piedad Amada Kwan-Yin
que nos guías para ganar la Victoria,
el perdón de Dios y también su Misericordia.
El Amor sin cesar fluye fuera de Ti.
Sentimos el Poder de la Llama de la Misericordia.
A través de la Invocación, TU Amor suplicamos,
para alcanzar ese Gran Poder de Dios
y elevar a toda la Tierra en esta Hora cósmica.

ORACIÓN PARA CURACIÓN

Reconozco, acepto y agradezco la vida de Dios en mí. YO SOY una expresión de vida renovadora.

ORACIÓN DE CURACIÓN POR LA FÉ

Oremos pidiendo curación, creo en la curación y espero la curación. Con DIOS todas las cosas son posibles.

He sido creado para tener vida y salud. La felicidad y la vitalidad son míos por derecho divino al nacer. La voluntad de DIOS es que me cure y me sane.

Si necesito salud, me veo como DIOS me ha creado: Completo, bien, perfecto. Me adhiero a la verdad de que con DIOS todas las cosas son posibles. Oremos pidiendo curación si está en Ley, creo en la curación y espero la curación.

A través de la oración me convierto en aliado de las fuerzas y energías de DIOS. Hago de mí mismo un canal a través del cual fluye libremente la vida de DIOS, llevando salud a cada parte de mi cuerpo. La fé es el medio a través del cual hago contacto con la ilimitada y eterna fuente de curación. Tengo fé y me afianzo firmemente en esta fé.

El saber que puedo curarme disipa las nubes de preocupación y temor; y mi mente y corazón descansan, así como las de aquellos que me rodean.

Para los hombres esto parece imposible; más para DIOS todo es posible. Gracias Padre que me has oído.

¡EMERGENCIA!

La actual situación de nuestro país, presenta aspectos de emergencia.

Conny Méndez nos recomienda que cuando se presente esta situación en nuestra vida, recurramos al Infalible Latido Universal.

Esto significa que tú, con el conocimiento de Tu Gloriosa Presencia YO SOY, eres capaz de elevar tu nivel de consciencia y una vibración superior en un momento dado y por lo tanto ser líder de los demás.

Al realizar ésto y lograr la sintonización con otros muchos corazones, todos ellos se llenan de paz que es la condición indispensable para que podamos recibir inmediato auxilio del cielo o sea de nuestra Poderosa Presencia YO SOY.

Por eso, ella recomienda que frente a una situación de emergencia, catástrofes etc. de inmediato concentremos nuestra atención en el Latido de nuestro propio corazón o en el de muchos otros (que estén en la misma condición) y escuchando los latidos de su corazón sintonizándolos con el tuyo afirmar:

YO SOY el Latido Universal y el líder de mi ambiente. En el nombre y por el poder y autoridad de mi Amada Presencia YO SOY, afirmo: Uno con Dios es mayoría; dos o más son la totalidad.

Esto hace que muchos seres aunque no lo sepan, estén en sintonía contigo, por eso tú eres el líder que hace bajar de la Divina Presencia el auxilio Divino en el momento oportuno.

Debes estar alerta y practicar mucho la sintonización con otros corazones, para que cuando llegue la situación de emergencia y de cualquier tipo que sea (asaltos, robos, accidentes, terremotos, inundaciones, etc.), estés preparado para prestar la ayuda necesaria pero desde TU PODEROSA PRESENCIA YO SOY.

ORACIÓN DE "YO SOY"

Yo siento la unión entre mi ser externo y el Magno Dios interno. Centro mi atención en mi corazón y visualizándolo como un Sol dorado afirmo:

Yo acepto con gran gozo la Plenitud de mi Amada Presencia YO SOY, el cristo puro. Siento e intensifico el brillo de su Luz en cada célula de mi cuerpo. **********

*YO SOY la Luz de Dios en mi cabeza****, *en mi mente* *** *en mis ideas y pensamientos*******

YO SOY la Luz de Dios en mi garganta *** *en mis hombros, y en mis brazos*******, *en mis manos* *** *veo mis manos llenas de Luz, para irradiar y bendecir hacia donde yo deseo.*

YO SOY la Luz de Dios en mi cuerpo *** *en mis piernas* *** *en mis pies,****

Dirige ahora tu atención a tu cuerpo físico interno y visualiza.

YO SOY la Luz de Dios en mi aparato respiratorio: (ve cómo respiras y tus pulmones se llenan de Luz).

YO SOY la Luz de Dios en mi aparato digestivo: (boca, esófago, estómago, intestinos). * * * * * *

YO SOY la Luz de Dios en mi aparato genital. * * * * * * * * * *

YO SOY la Luz de Dios en mi aparato circulatorio * * * *en mi corazón, venas, arterias, en cada gota de mi sangre.* * * * * * *

YO SOY la Luz de Dios en mi columna vertebral * * * *y en mi sistema nervioso. Cada nervio es un hilo de Luz.* * * * * * *

YO SOY la Luz de Dios en cada uno de mis huesos * * * *mi esqueleto está radiante de luz.* * * *

YO SOY la Luz de Dios en cada músculo de mi carne y en cada célula de mi piel. * * * * * *

YO SOY la Luz de Dios en mi cuerpo etérico, en cada una de mis memorias y de mis vidas anteriores. * * * *

YO SOY la Luz de Dios en mi cuerpo emocional. * * * * *

YO SOY la Luz de Dios en mi cuerpo mental. * * * * * *

YO SOY hija(o) de la Luz. Vivo en la Luz. YO SOY iluminada(o), dirigida(o) protegida(o), provista(o), sanada(o) y sostenida(o) en la Luz.

Yo amo y bendigo la Luz. Entro al Reino de mi Padre que es el Reino de la Luz. YO SOY un ser de Luz muy poderoso.

(Quédate unos momentos intensificando tu propia Luz, luego lentamente vuelve a tu consciencia externa).

PARA EL TEMOR

Amada Presencia "YO SOY" en mí; envuélveme en tu Manto Blanco de Luz Incandescente, protégeme; Dios es sabiduría infinita y esa sabiduría es mía, es nuestra.

Dios me creó, Dios me conoce, Dios me sostiene, Dios me aprueba, de mi Dios es la Vida Infinita, y de esa vida es proveedora mi presencia "YO SOY" en mí.

Gracias Amada Presencia "YO SOY" en mí.

ORACIÓN PARA LA PASCUA DE RESURRECCIÓN

En Nombre Tuyo, Señor apoyado sólo en Ti, me levanto de mi nada. Esta noche en que Resucitará el Cristo-Jesús, "YO SOY" también resucitado. Emprendo un nuevo camino, voy donde Tú me llamas, a colocarme donde Tú me quieres. "YO SOY" la Resurrección y la Vida de todo bien en mi corriente de Vida, desde que "YO SOY".

ORACIÓN DE CONFIANZA

He aquí Señor, que mi confianza permanece
[firmemente anclada en Ti.
Aún de las garras del león Tus Manos me sacarán.
De las fauces del tiburón, Tu Mano Santa me rescatará.
De lo hondo del abismo Tu Amor me elevará a lo Alto.
No temo pues, lo que el enemigo pueda intentar
[contra mí,
porque si Tú estás conmigo ¿quién puede nada
[contra mí?
Cobíjome bajo la sombra de Tus Alas y allí me
[siento seguro,
que si yo no me aparto de Ti, no serás Tú quien me deje.
Gracias Señor por todo este Bien.

ORACIÓN DEL CHOFER

Señor: Dame una mano firme y ojo alerta para que nadie sea herido cuando yo pase. Tú me diste la vida; que ninguna imprudencia mía quite tu Don a otro, ni lo hiera.

Señor: Protege a los que van conmigo de los horrores del fuego y de los accidentes. Enséñame cómo debo guiar este carro para proteger a los otros, y a mí mismo, y no permitas que por mucho correr olvide la belleza de tu mundo para que pueda continuar mi camino con alegría y llegar felizmente al término de mi viaje.

TU TRABAJO ES BENDICIÓN MANOS QUE ORAN

Cuando amasas el pan, tus manos oran.
Cuando coses, tus manos oran.
Cuando cocinas, tus manos oran.
Cuando lavas ropa, tus manos oran.
Cuando barres, tus manos oran.
Cuando sacas la basura, tus manos oran.
Cuando manejas el volante de un carro, tus manos [oran.
(Procura que tus pies también oren cuando [oprimen el acelerador)
Cuando curas a un enfermo, tus manos oran; une [tu corazón a tus manos, haciéndolo con [Amor y así tu oración será perfecta.
Cuando escribes la palabra Santa, tu mente y tus [manos oran.
Cuando haces cuentas, tus manos y tu cerebro oran.

Cuando como albañil, edificas algo, tus manos oran,
[mientras la Divina Inteligencia te dirige.
Manos que aran la tierra, siembran la semilla y
[recogen la cosecha, son manos
[benditas que oran.

ORACIÓN PARA ILUMINACIÓN

Yo vivo y me muevo en la Luz de Dios. Estoy seguro en mis decisiones y acciones.

ORACIÓN PODEROSA

"YO SOY" la resurrección y la vida.
De todo bien en mi corriente de vida.
De mi eterna juventud y belleza.
De mi vista perfecta.
De mi oído perfecto.
De mi salud perfecta.
De mi fuerza sin límites.
De mi energía y valor.
Del Amor a Dios.
De mi invencible protección.
De mi provisión inagotable de dinero y de toda
[cosa buena.
De la Luz que no me falta jamás.
De la Paz y la Libertad en la Tierra.

CIENCIA DIFÍCIL

Con una herida en el pecho... sonreír.
Con un dolor en el alma... consolar.
Con un insulto en el oído... bendecir.
Con una calumnia en la frente... perdonar.
Esto es Ciencia.
La Gran Ciencia que enseñó.
Él que dijo al enseñarnos: "YO SOY LA LUZ"
y diciendo estas palabras, ascendió
a la cátedra infamante de una Cruz.
¿Caíste? Yo te levanto.
¿Te manchaste? Yo te limpio.
¿Fuiste herido? Yo te curo.
"YO SOY" el Perdón.
"YO SOY" la Misericordia.

BENDICIÓN PARA UNA CASA

Bendícenos, Señor, y esta casa
En tiempo de ansiedad y de alegría;
Benditos sean los amigos que entran
Y las ventanas que se abren al cielo,
El techo y las paredes que protegen
Del mundo y de los rigores del tiempo.
Señor haz de mi casa una mansión
De amor y belleza perdurables,
Un lugar cómodo y amigable.
Que pláticas agradables resuenen
En estos cuartos, y los amigos se queden a compartir
[sonrisas y canciones.
¡Bendice estos cuartos para el trabajo y juego!
Oh, deja que mi casa sea alegre
Y a veces quieta como la llama de una vela.
Acompáñanos, Señor, de día y de noche;

Bendice nuestra labor y el descanso;
Nuestro despertar y nuestro dormir bendice.
En placer y ansiedades, grandes o pequeñas,
¡Señor, bendice esta casa y a los que viven en ella!

Títulos de esta Colección

- Cuarzos y otras Piedras Curativas
- Mensajes para la Nueva Era
- Metafísica Meditaciones de Luz
- Metafísica para la Vida Diaria
- ¿Qué es el Karma?
- ¿Qué es Metafísica?
- Reencarnación

- Fuerza y Poder de la Oración
- La Fé en la Oración

Esta obra se imprimio en:

OFFSET AMAXAC
Ignacio Allende 105
Col. Guadalupe del Moral
C.P. 09300 México,D.F.